米小圈上学记

我是小学生 一年级

北猫 著

四川少年儿童出版社

闪亮登场

李黎

米小圈

姜小牙

郝静

小圈妈

小圈爸

肌肉老师

莫老师

魏老师

目录

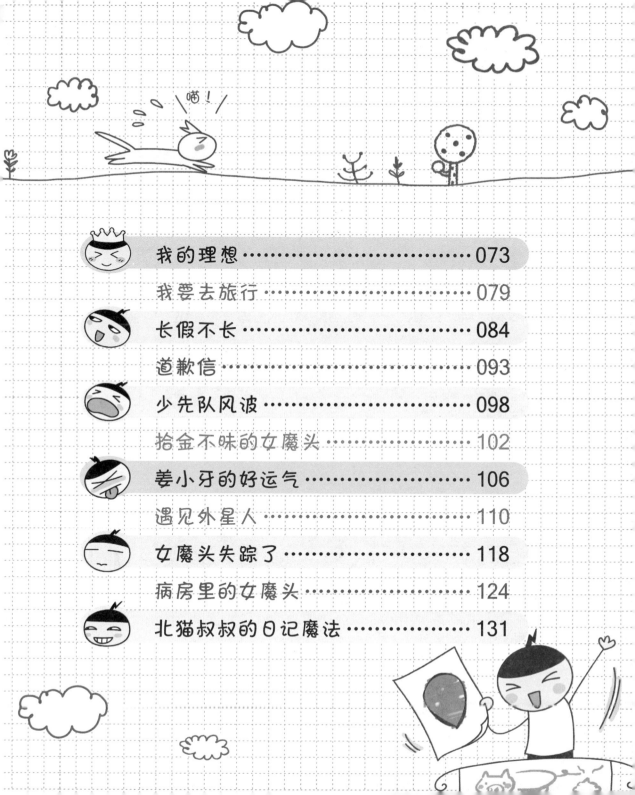

米小圈对你说

已经翻开了这本日记的小朋友，你好吗？你一定很好，因为你正在看这本会让你笑到肚皮疼的日记——我的日记。

首先自我介绍一下，我叫米小圈。好吧，我承认我的名字是有点儿好笑，同学们也都在笑我。不过，这没什么，能让别人开心一笑，这也是很值得骄傲的呀。

在小学里，我们总是既快乐又烦

恼的，就像我日记里的故事一样。你是否也在为学习成绩、严厉的老师、家长的管教、刁蛮的同桌和一些调皮捣蛋的同学而苦恼呢？别担心，一切都会好起来的。

教你一个很好的方法，你可以把这些事都写在你的日记里，然后祈祷不好的事情马上过去，开心的事情赶快都来。相信我，你一定会变得更快乐。

好啦，我要去写日记了，886……

米小圈

米小圈上学记

我 是小学生

米小圈就是我

8 月 20 日 星 期 三

我 叫 米 小 圈 ， 这 真 是 一 个 古 怪 到 不 能 再 古 怪 的 名 字 啦 ， 如 果 别 的 小 朋 友 叫 这 个 名 字 ， 我 是 一 定 会 笑 疯 掉 的 ， 但 倒 霉 的 是 这 个 名 字 是 我 的 。

究 竟 是 谁 给 我 起 的 这 个 名 字 呢 ？

哈哈哈哈哈哈……

我叫……米小圈。

…… 🍬

我是小学生

zhì shāng hǎo dī ya
智 商 好 低 呀！

lǎo bà tīng wǒ shuō wán　　bào tiào rú léi　yuán lái
老 爸 听 我 说 完 ， 暴 跳 如 雷 。 原 来

shì tā　　xī xī
是 他 ， 嘻 嘻 ……

zhè me róng yì bèi rén cháo xiào de míng zi jìng rán bèi
这 么 容 易 被 人 嘲 笑 的 名 字 竟 然 被

lǎo bà chēng wéi jié zuò　zhēn shi de
老 爸 称 为 杰 作 ？ 真 是 的 。

jīn tiān wǒ tè yì pǎo qù wèn lǎo bà　　wèi shén me
今 天 我 特 意 跑 去 问 老 爸 ， 为 什 么

huì gěi wǒ qǐ yí gè zhè me qí guài de míng zi　zhēn de
会 给 我 起 一 个 这 么 奇 怪 的 名 字 ， 真 的

hěn diū rén ye
很 丢 人 耶！

lǎo bà gěi chū de dá àn shì　zài wǒ hěn xiǎo hěn
老 爸 给 出 的 答 案 是 ： 在 我 很 小 很

xiǎo de shí hou
小 的 时 候 ，

yǒu yí cì wǒ pá
有 一 次 我 爬

dào tā de tú zhǐ
到 他 的 图 纸

shang huà le yí gè
上 画 了 一 个

小圈，我的名字从此产生了。

可是如果当时我画的是一条小狗或者一只小鸡，那我是否该叫米小狗、米小鸡呢？

给小孩子起名字怎么可以这么随便呢，真是的。

"这怎么会是随便呢？你那么小就可以爬到图纸上，那么小就能画出一个小圈，这说明你是一个画画天才，以后肯定会成为一位**特别特别著名**的画家。"老爸这样说。

"老爸，不会吧，我能成为画家？"我很怀疑地问。

我是小学生

"嗯，而且是特别特别著名的那种。"

"真的？"

"当然，因为你是我的儿子嘛，哈哈哈哈……"

老爸的笑声好恐怖，仿佛成为特别特别著名画家的不是我，而是他。

lǎo bà wèi le gǔ lì wǒ zhè ge wèi lái de huà jiā
老爸为了**鼓励**我这个未来的画家，
gěi wǒ jiǎng le yí gè ài dí shēng huà jī dàn de gù shi
给我讲了一个爱迪生画鸡蛋的故事。

děng yi děng lǎo bà ài dí shēng huà jī dàn
“等一等，老爸，爱迪生画鸡蛋？”

duì ya
“对呀。”

zhēn de shì ài dí shēng huà jī dàn wǒ yòu wèn
“真的是爱迪生画鸡蛋？”我又问。

duì ya duì ya nà dá fēn qí shì
“对呀！对呀！”“那**达·芬奇**是
fā míng diàn dēng de nà ge rén ma
发明电灯的那个人吗？”

lǎo bà náo le náo tóu zhè ge ma hā hā
老爸挠了挠头：“这个嘛……哈哈
hā hā shì dá fēn qí huà jī dàn ài dí shēng
哈哈……是达·芬奇画鸡蛋，爱迪生
fā míng diàn dēng kǒu wù kǒu wù
发明电灯，口误口误……”

ài zhè jiù shì wǒ de lǎo bà yí gè jīng cháng
唉……这就是我的老爸，一个经常
fàn gè zhǒng xī qí gǔ guài cuò wù de jiā huo
犯各种**稀奇古怪**错误的家伙。

8月21日 星期四

wǒ xiǎng lǎo bà de nǎo dai zuó tiān yí dìng shì chū le
我 想 老 爸 的 脑 袋 昨 天 一 定 是 出 了

shén me wèn tí jū rán rèn wéi wǒ huì chéng wéi tè bié tè
什 么 问 题 ，居 然 认 为 我 会 成 为 特 别 特

还是模型
飞机最好玩！

别著名的画家。

可是今天，老爸的魔鬼式天才培养计划就付诸实践啦。

老爸竟然给我报了一个美术班，并且给我买来了画板、铅笔、橡皮、颜料、水彩笔……

老爸告诉我，他从小就梦想成为一名画家，而且是特别著名的那种，但现在却只能在建筑所里当一名绘图员，所以他把他的梦想留给了我。

可那是老爸的梦想，又不是我的。

我的梦想是当一个卖冰激凌的老奶奶，这样我就可以想吃多少冰激凌

jiù chī duō shao la
就 吃 多 少 啦。

jiù zài wǒ huàn xiǎng chī gè zhǒng kǒu wèi de bīng jī líng
就 在 我 幻 想 吃 各 种 口 味 的 冰 激 凌

shí lǎo bà tū rán chū xiàn ná zhe gāng gāng xiāo hǎo de cǎi
时，老 爸 突 然 出 现，拿 着 刚 刚 削 好 的 彩

sè qiān bǐ hé tú huà běn mǐ xiǎo quān lái huà yì
色 铅 笔 和 图 画 本："米 小 圈，来！画 一

zhāng huà ba
张 画 吧。"

huà huà kě shì wǒ hái méi yǒu kāi shǐ xué ya
"画 画？可 是 我 还 没 有 开 始 学 呀？"

méi guān xi la nǐ suí biàn huà jiù xíng fǎn zhèng
"没 关 系 啦，你 随 便 画 就 行，反 正

nǐ shì gè huì huà tiān cái ma
你 是 个 绘 画 天 才 嘛。"

"可是该画些什么呢？"

老爸想了想，说："就画你爸爸我吧，记住画得帅一点儿哟。"

画得帅一点儿？这可不是件容易的事呀。

老爸纹丝不动地坐在我面前摆了一个很帅的姿势，我龙飞凤舞地画了起来。

一会儿，我的画就完成啦。

"速度很快嘛，不愧是个天才小子。"老爸兴奋地拿起画，左看看，右看看，看了又看。

lǎo bà kàn wán
老爸看完

huà jìng rán kū le
画，竟然哭了，

zhēn qí guài
真奇怪。

zhè shí lǎo
这时，老

mā pǎo guò lái yě
妈跑过来，也

zhǔn bèi ràng wǒ gěi tā huà yì zhāng huà xiàng kě shì tā kàn
准备让我给她画一张画像，可是她看

wán lǎo bà de huà xiàng jiù zài yě bú yào wǒ huà la
完老爸的画像，就再也不要我画啦。

严厉的老妈

8月23日 星期六

老妈是个非常严厉的女人，这可不是我说的，是老爸偷偷对我讲的，不过嘛……我深有同感。

老妈总是说：米小圈不许这样、不许那样！从来不让我自己做主。真搞不懂，大人就一定是对的，而孩子就一定会做错吗？

我和老爸都很怕老妈，特别是老

爸，看见老妈就像老鼠看见猫。

当然，对于老妈的严加管教，我和老爸也是有对策的。

老爸总是利用上厕所的时间抽烟，而我总是在厕所里看漫画书，家里的卫生间成为了我和老爸的天堂。

结果不幸的事情发生了。今天我边上厕所边看漫画书，可是我忘

jì suǒ mén le wǒ de xiào shēng cóng wèi shēng jiān yì zhí
记锁门了。我的笑声从卫生间一直
chuán dào le lǎo mā de ěr duo li
传到了老妈的耳朵里。

lǎo mā fēi bēn xiàng wèi shēng jiān yí xià zi dǎ kāi
老妈飞奔向卫生间，一下子打开
le wèi shēng jiān de mén
了卫生间的门。

mǐ xiǎo quān lǎo mā dà jiào zhe wǒ de
“米小圈……”老妈大叫着我的
míng zi
名字。

wā shì lǎo mā wǒ xià de bǎ màn huà
“哇！是老妈！”我吓得把漫画
shū rēng dào le dì shang
书扔到了地上。

mǐ xiǎo quān wǒ gēn nǐ shuō guo duō shao cì la
“米小圈，我跟你说过多少次啦，
bù xǔ kàn zhè zhǒng qù wèi dī jí de màn huà shū
不许看这种趣味低级的漫画书。”

kě shì lǎo mā zhè shū zhēn de hěn
“可是……老妈……这书真的很
dòu ye
逗耶！”

nà yě bù xíng jiù zhè yàng lǎo mā bǎ
“那也不行！”就这样，老妈把

我的漫画书给没收了。真是的……这家里还有没有人权呀？

晚上，不幸的事情再次发生了，老爸刚刚从卫生间里吸完烟出来，老妈就冲了进去，闻到了烟味。

结果，老爸的香烟被没收了，而且还要写检查。

哈哈……老爸，我同情你。老妈是一个医生，对我和老爸的个人卫生管得超级严格：饭前要洗手，每天都要洗澡，睡前要刷牙，刷完牙就不许再吃东西……

女人真的好麻烦呀，我和老爸这

样认为。

老爸每天下班回家的第一件事就是赶快去洗脚，否则老妈就要发怒啦。不过，在这一点上，我是站在老妈那边的——老爸的脚也太臭啦，都可以熏死蚊子啦。

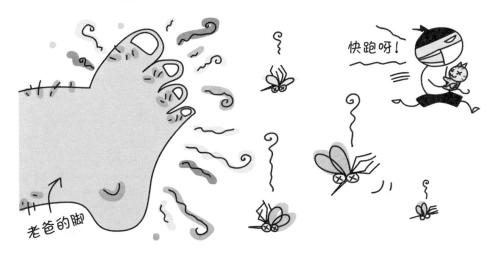

老爸的脚

快跑呀!

不想长大

8月28日 星期四

xià xīng qī yī shì yí gè hěn zhòng yào de rì zi
下 星 期 一 是 一 个 很 **重 要 的 日 子**，

yīn wèi wǒ yào dào qiū shí xiǎo xué qù niàn yī nián jí la
因 为 我 要 到 秋 实 小 学 去 念 一 年 级 啦。

bié yǐ wéi wǒ huì gāo xìng de tiào qǐ lái qí shí
别 以 为 我 会 高 兴 得 跳 起 来， 其 实

太难听啦！！！

wǒ yì diǎnr dōu bù xiǎng qù yě bù xiǎng zhǎng dà wǒ xǐ
我一点儿都不想去，也不想长大，我喜
huan dāi zài yòu ér yuán li zuò yóu xì chàng gē tiào wǔ
欢待在幼儿园里做游戏、唱歌、跳舞，
hái kě yǐ chī hěn duō hǎo chī de dōng xi
还可以吃很多好吃的东西。

kě shì méi yǒu bàn fǎ lǎo bà lǎo mā shì bú huì
可是没有办法，老爸老妈是不会
tóng yì de zài dà ren de nǎo dai li yǒng yuǎn dōu shì shàng
同意的，在大人的脑袋里永远都是上
xiǎo xué shàng zhōng xué shàng dà xué shèn zhì shì chéng wéi bó
小学、上中学、上大学，甚至是成为博
shì
士。

jīn tiān wǒ bù xiǎo xīn bǎ xīn yuàn gào su le lǎo
今天，我不小心把心愿告诉了老
bà tā yì tīng jiù jí le zhè zěn me kě yǐ nǐ
爸，他一听就急了：“这怎么可以，你
bú qù xué zhī shi jiāng lái zěn me néng chéng wéi yì míng tè
不去学知识，将来怎么能成为一名特
bié tè bié zhù míng de zuò jiā ne
别特别著名的作家呢。”

ǎ zuò jiā qián jǐ tiān bù hái shi huà jiā ma
“啊？作家？前几天不还是画家吗？”

ò duì duì shì huà jiā kǒu wù kǒu wù
“哦！对，对，是画家，口误口误，

hā hā hā hā
哈 哈 哈 哈 ……"

lǎo bà zǒng shì zhè yàng ，zhēn ná tā méi bàn fǎ
老 爸 总 是 这 样 ， 真 拿 他 没 办 法 。

zhēn bù míng bai shàng xiǎo xué yǒu shén me hǎo de xiǎo
真 不 明 白 上 小 学 有 什 么 好 的 。 小

xué li méi yǒu fàn hòu shuǐ guǒ xiǎo xué li méi yǒu cǎo méi
学 里 没 有 饭 后 水 果 ， 小 学 里 没 有 草 莓

dàn gāo xiǎo xué li méi yǒu táo qì bǎo xiǎo xué li méi
蛋 糕 ， 小 学 里 没 有 淘 气 堡 ， 小 学 里 没

yǒu hǎo péng you tiě tóu hé kě ài de xī xi lǎo shī
有 好 朋 友 铁 头 和 可 爱 的 西 西 老 师 。

rú guǒ wǒ néng yǒu yì gēn mó fǎ bàng jiù hǎo le
如 果 我 能 有 一 根 魔法棒 就 好 了 ，

kě yǐ bǎ zì jǐ biàn chéng yǒng yuǎn zhǐ yǒu liù suì duì le
可 以 把 自 己 变 成 永 远 只 有 六 岁 。 对 了 ，

wǒ yào bǎ lǎo bà biàn chéng sì suì duì jiù shì sì suì
我 要 把 老 爸 变 成 四 岁 ， 对 ！ 就 是 四 岁 ，

rán hòu yán lì de pī
然 后 严 厉 地 批

píng tā rú guǒ tā
评 他 。 如 果 他

bù tīng wǒ jiù hěn
不 听 ， 我 就 狠

hěn de xiū lǐ tā
狠 地 修理 他 ，

你一定要努力学习，否则怎么能成为一位特别特别著名的画家的爸爸！

......

哈 哈 …… 真 能 这 样 该 多 好 玩 啊 。

这 篇 日 记 千 万 千 万 不 能 让 老 爸 看

见 ， 否 则 他 肯 定 会 狠 狠 地 修 理 我 的 。

（ 老 爸 评 语 ： 米 小 圈 ， 你 完 了 ， 我 看

见 啦 。 ）

吃 完 晚 饭 ， 老 妈 把 我 的 书 包 塞 得

鼓 鼓 的 ， 里 面 全 是 上 小 学 的 书 本 啊 ， 学

习 用 品 啊 。 我 背 了 背 ， 哇 ！ 好 沉 啊 。

老 妈 告 诉 我 ， 我 即 将 成 为 一 名 正

式 的 小 学 生 了 ， 所 以 不 能 再 让 大 人 给

我 系 鞋 带 和 洗 袜 子 了 。

啊 ？ 不 是 吧 ？ 我 最 讨 厌 洗 袜 子 啦 。

老 妈 又 说 ： " 要 不 就 让 你 爸 爸 帮 你

洗袜子。"

"好啊，好啊！"我觉
得老妈这个主意不错。

"然后你洗你爸爸的袜子。"

"不、不、不，我们还是自己洗自
己的吧。"老爸袜子的杀伤力太大了，
我才不敢洗呢。

比洗袜子更让我头痛的就属系鞋
带了，我怎么学也学不会。

老妈严厉地说："学不会也要学，
将来你成为特别特别著名的画家，不
会系鞋带多丢人。"

可是我觉得，如果我能成为特别

特别著名的画家，那我一定很有钱，那样我就可以雇人帮我系鞋带了。

老妈严厉批评了我的金钱论，没办法，只好继续跟老妈学系鞋带。

半个小时过去了，我还是没有学会。老妈鼓励我："世上无难事，只怕有心人。"一个半小时过去了，我仍

哈哈哈，不会系鞋带的画家！

最伟大画家奖

rán méi yǒu xué huì　　liǎng gè bàn xiǎo shí guò qù le　　wǒ
然 没 有 学 会 。 两 个 半 小 时 过 去 了 ， 我

hái shi bú huì　　lǎo mā zhōng yú bēng kuì le
还 是 不 会 ， 老 妈 终 于 崩 溃 了 。

kàn lái zhè ge shì jiè shang hái zhēn yǒu nán shì a
看 来 这 个 世 界 上 还 真 有 难 事 啊 。

zuì hòu　　lǎo mā tóng yì yǐ hòu bāng wǒ jì xié dài
最 后 ， 老 妈 同 意 以 后 帮 我 系 鞋 带 ，

dàn wà zi yí dìng yào zì jǐ xǐ　　hā hā　　　　lǎo mā
但 袜 子 一 定 要 自 己 洗 。 哈 哈 …… 老 妈

wàn suì
万 岁 ！

奥特曼老师

9月1日 星期一

上学的日子到了，我真的真的不想去！

听说小学是要写作业和考试的，如果考不好还会被**降级**呢。

对了，我是一年级的，如果降级是不是就可以回到幼儿园呢？但那是不可能的，我已经老了，不能永远待在幼儿园了。就这样，我被老妈拽去了秋

shí xiǎo xué
实 小 学 。

yí lù
一 路

shang lǎo mā
上 , 老 妈

bù tíng de zhǔ
不 停 地 嘱

fù wǒ shàng xué yào tīng lǎo shī de huà bù xǔ hé tóng
咐 我 : 上 学 要 听 老 师 的 话 , 不 许 和 同

xué dǎ jià shàng kè yào zhù yì tīng jiǎng lǎo shī tí wèn
学 打 架 , 上 课 要 注 意 听 讲 , 老 师 提 问

de shí hou yào zhǔ dòng jǔ shǒu huí dá wèn tí tóng xué yǒu
的 时 候 要 主 动 举 手 回 答 问 题 , 同 学 有

kùn nan yào bāng zhù tā men
困 难 要 帮 助 他 们 ……

kě shì lǎo mā wǒ hái zhǐ shì gè xiǎo hái zi ne
可 是 老 妈 , 我 还 只 是 个 小 孩 子 呢 ,

nǐ shuō nà me duō wǒ yí xià zi zěn me jì de zhù a
你 说 那 么 多 , 我 一 下 子 怎 么 记 得 住 啊 !

lǎo mā lián lā dài zhuài le yí lù wǒ men zhōng yú
老 妈 连 拉 带 拽 了 一 路 , 我 们 终 于

dào dá le qiū shí xiǎo xué
到 达 了 秋 实 小 学 。

wā hǎo piào liang de xué xiào hǎo dà de cāo chǎng
哇 ! 好 漂 亮 的 学 校 , 好 大 的 操 场

啊，还有双杠和秋千呀，的确比幼儿园好多了。

"怎么样？米小圈，是不是很漂亮呀？"老妈这样问道。

"嗯，是啊，比幼儿园**气派**多啦！"

"那你是喜欢在这样气派的学校里上学，还是在幼儿园上学呢？"

"这还用问吗？当然是幼儿园啊！"

老妈听完差点儿气吐血。

我和老妈来到了三楼的一年级五班门前，里面**闹哄哄**的，像炸开了锅。

我前脚刚迈进教室，后脚就后悔了——没有一个同学是我认识的，还是

迅速跑走

一年级五班

妈妈，等等我！

幼儿园好。我回头再看老妈，她早就跑没影了。

我只好一个人找个座位坐了下来。

这时，巧克力的香味飘进了我的鼻子里。哇！好香啊。我转头一看，原来是我旁边的小孩儿在吃巧克力。

老妈说过嘴馋的小孩儿肯定没出息。为了帮助这位没出息的同学，我问他："嘻嘻，这个巧克力好吃吗？"

"好吃呀，给你一块。"

“这个……这个……不太好吧。”

我接过巧克力。

他打开书包说：“没事，吃吧吃吧，你看，我这还有薯片、**彩虹糖**、雪饼呢。”

哇！这么多好吃的呀。

我决定，我要和吃巧克力的小孩儿成为好朋友。我可不是因为他书包里有好吃的才和他做朋友的。

我发现，我的这个好朋友，他的牙

姜小牙

嘿嘿

好大啊。既然是好朋友嘛，我是不会嫌弃他牙大的。

我是小学生

tā gào su wǒ， tā de míng zi jiào jiāng xiǎo yá， kě
他告诉我，他的名字叫姜小牙，可

shì …… kě shì wǒ jué de tā de míng zi yīng gāi jiào jiāng
是……可是我觉得他的名字应该叫姜

dà yá cái duì a
大牙才对啊。

tā shuō tā bà ba cái jiào jiāng dà yá
他说，他爸爸才叫姜大牙。

hā hā hā hā hā hā hā hā hā hā hā hā
哈哈哈哈哈哈哈哈哈哈哈哈……

hǎo ba wǒ shuō guo le wǒ men shì hǎo péng you
好吧，我说过了，我们是好朋友，

suǒ yǐ wǒ bù néng xiào tā kě shì hā hā hā hā hā hā
所以我不能笑他，可是，哈哈哈哈哈哈

hā
哈……

guò le yí huìr yí gè nǚ lǎo shī lái dào le jiào
过了一会儿，一个女老师来到了教

shì
室。

wā jiāng xiǎo
"哇！姜小

魏老师

奥特曼

yá kuài kàn ào tè
牙，快看，奥特

màn wǒ zhǐ zhe nǚ
曼。"我指着女

lǎo shī shuō dào
老师说道。

wā guǒ rán xiàng ào tè màn wǒ hé jiāng xiǎo
"哇！果然像奥特曼。"我和姜小

yá dōu kuài xiào yūn guò qù le
牙都快**笑晕过去**了。

shéi zài xiào shì shéi zài xiào nǚ lǎo shī hěn
"谁在笑？是谁在笑？"女老师很

wēi yán de hǎn dào wǒ hé jiāng xiǎo yá gǎn kuài wǔ zhù zuǐ
威严地喊道。我和姜小牙赶快捂住嘴，

jǐn liàng bù fā chū shēng yīn
尽量不发出声音。

zhè wèi nǚ lǎo shī ràng tóng xué men dōu zuò hǎo rán
这位女老师让同学们都坐好，然

hòu gào su dà jiā tā jiào wèi dà hóng jì shì wǒ men de
后告诉大家她叫魏大红，既是我们的

bān zhǔ rèn yòu shì wǒ men bān de shù xué lǎo shī
班主任，又是我们班的数学老师。

xiàn zài dà jiā dōu zhàn qǐ lái dào zǒu láng qù
"现在大家都站起来，到**走廊去**，

wǒ men yào fēn zuò wèi
我们要分座位

la wèi lǎo shī
啦。"魏老师

温柔贤惠

年轻漂亮

知书达理

zhè yàng shuō tóng xué
这样说。同学

men lái dào zǒu láng　　àn dà xiǎo gèr pái duì　　zhè shí jiāng
们 来 到 走 廊 ， 按 大 小 个儿 排 队 。 这 时 姜

xiǎo yá kāi shǐ qí dǎo　　tā xī wàng néng hé yí gè nián qīng
小 牙 开 始 祈 祷 ， 他 希 望 能 和 一 个 年 轻

piào liang de nǚ háir　　zuò tóng zhuō
漂 亮 的 女 孩儿 做 同 桌 。

　　wǒ bèi fēn dào le dì èr pái kào jìn chuāng hu de wèi
　　我 被 分 到 了 第 二 排 靠 近 窗 户 的 位

zi　　hé yí gè piào liang nǚ háir　　　　lǐ lí yì zhuō
子 ， 和 一 个 漂 亮 女 孩儿 —— 李 黎 一 桌 。

　　jiāng xiǎo yá fēn dào le wǒ de hòu pái　　hé yí gè
　　姜 小 牙 分 到 了 我 的 后 排 ， 和 一 个

jiào hǎo jìng de nǚ háir yì zhuō　　hǎo jìng liǎn shang yǒu hǎo
叫 郝 静 的 女 孩儿 一 桌 。 郝 静 脸 上 有 好

duō xiǎo què bān　　bìng bú piào liang　　dàn zhì shǎo tā hěn nián
多 小 雀 斑 ， 并 不 漂 亮 ， 但 至 少 她 很 年

qīng ya
轻 呀 ！

　　hǎo jìng shì gè jì ān jìng yòu ài xué xí de nǚ háir
　　郝 静 是 个 既 安 静 又 爱 学 习 的 女 孩儿，

ér jiāng xiǎo yá què fēi cháng xǐ huan liáo tiān zhěng tiān jī ji
而 姜 小 牙 却 非 常 喜 欢 聊 天， 整 天 叽 叽

zhā zhā de
喳 喳 的 。

　　xī xī kàn lái jiāng xiǎo yá de yuàn wàng luò kōng le
　　嘻 嘻， 看 来 姜 小 牙 的 愿 望 落 空 了 。

　　yì tiān guò qù le wǒ fā xiàn piào liang de nǚ háir
　　一 天 过 去 了， 我 发 现 漂 亮 的 女 孩儿

zhēn shì bù hǎo rě lǐ lí zhēn shì gè yě mán de jiā
真 是 不 好 惹 。 李 黎 真 是 个 野 蛮 的 家

伙，她喜欢批评别人、打击别人、管别人、讽刺别人。

第一天她只跟我说了一句话。她在我眼里就像一只骄傲的花公鸡。哦！不是，是花母鸡。

我不喜欢她。

漂亮的莫老师

9月2日 星期二

妈妈啊，我的同桌李黎真是太不够意思了。今天魏老师叫我站起来回答问题，这么难的题我哪里会呀，谁知李黎把手举得高高的，就

老师，我会，老师我会！

切!

是不肯把答案告诉我。

结果我像

傻子一样站在那里，李黎却得到了表扬。

这有什么呀，下次她不会时我也举手，就是不告诉她。可是连李黎都不会的题，我能回答出来吗？我很怀疑。

老妈说同桌之间应该**互相帮助**，可是李黎就喜欢看我的笑话。

今天我们见到了新的语文老师，她姓莫，是个刚毕业的女大学生。莫老师好漂亮呀，同学们都很喜欢她。

莫老师总是对我们**微笑**，永远都不会对我们**发脾气**。我也特别喜欢她，今天上课我还主动举手回答了问题。

一堂语文课下来，我一共举手二

shí cì ， zhàn
十 次 ， 站
qǐ lái huí dá
起 来 回 答
le wǔ gè wèn
了 五 个 问
tí ， kě shì
题 ， 可 是

wǒ yí gè dōu méi dá duì wū wū wū wū
我 一 个 都 没 答 对 。 呜 呜 呜 呜 ……

mò lǎo shī cóng cǐ zài yě bú ràng wǒ huí dá wèn tí
莫 老 师 从 此 再 也 不 让 我 回 答 问 题

le mā ma ya
了 。 妈 妈 呀 ！

jīn tiān yǔ wén kè de zuì hòu wǔ fēn zhōng mò lǎo
今 天 语 文 课 的 最 后 五 分 钟 ， 莫 老

shī bié chū xīn cái de yāo qiú dà jiā yì qǐ lái yí gè gù
师 **别 出 心 裁** 地 要 求 大 家 一 起 来 一 个 故

shi jiē lóng yí gè tóng xué jiǎng yí duàn xià yí gè tóng
事 接 龙 ， 一 个 同 学 讲 一 段 ， 下 一 个 同

xué yào jiē zhe jiǎng
学 要 接 着 讲 。

wā zhè yí dìng hěn hǎo wán jiāng xiǎo yá zài
"哇 ！ 这 一 定 很 好 玩 。" 姜 小 牙 在

hòu miàn gāo xìng de bù dé liǎo
后 面 高 兴 得 不 得 了 。

035

mò lǎo shī shuō　　　　gù shi jiù cóng　　wǒ fā xiàn le
莫 老 师 说 ："故 事 就 从 ' 我 发 现 了

yí gè xiǎo hé zi　　　　kāi shǐ ba
一 个 小 盒 子 …… ' 开 始 吧 。"

wǒ de hǎo péng you jiāng xiǎo yá dì yī gè bǎ shǒu jǔ
我 的 好 朋 友 姜 小 牙 第 一 个 把 手 举

le qǐ lái　　　lǎo shī wǒ lái　lǎo shī wǒ lái　　　　mò
了 起 来 :"老 师 我 来 , 老 师 我 来 !" 莫

lǎo shī diǎn tóu tóng yì le
老 师 点 头 同 意 了 。

jiāng xiǎo yá zhàn qǐ lái shuō　　　jīn tiān wǒ fā xiàn
姜 小 牙 站 起 来 说 :"今 天 我 发 现

le yí gè xiǎo hé zi　wǒ dǎ kāi yí kàn　wā　lǐ miàn
了 一 个 小 盒 子 , 我 打 开 一 看 , 哇 ! 里 面

yǒu wǔ bǎi wàn
有 五 百 万 。"

dà jiā yì tīng　chà diǎnr　lè de zuān dào zhuō zi dǐ
大 家 一 听 , 差 点 儿 乐 得 钻 到 桌 子 底

xia qù le　　mò lǎo shī mǎ shàng dǎ duàn le
下 去 了 。 莫 老 师 马 上 打 断 了

嘻嘻~

cái mí jiāng xiǎo yá de bài jīn zhǔ yì lùn
财 迷 姜 小 牙 的 拜 金 主 义 论 。

jiāng xiǎo yá　　ní zhè ge kāi tóu bù
"姜 小 牙 , 你 这 个 开 头 不

xíng ya　　yí gè xiǎo hé zi li zěn me néng
行 呀 , 一 个 小 盒 子 里 怎 么 能

老师，我这个故事不错吧！

呃……

zhuāng de jìn wǔ bǎi wàn yuán qián ne
装 得 进 五 百 万 元 钱 呢 ？ ”

yào bù jiù zhuāng yì zhāng zhòng le wǔ bǎi
“ 要 不 就 装 一 张 中 了 五 百

wàn yuán de cǎi piào hái méi qù lǐng jiǎng de nà zhǒng jiāng
万 元 的 彩 票 ？ 还 没 去 **领 奖** 的 那 种 。 ” 姜

xiǎo yá zhè yàng shuō
小 牙 这 样 说 。

nà yě bù xíng ya xiǎo hé zi li bù kě yǐ yǒu
“ 那 也 不 行 呀 ， 小 盒 子 里 不 可 以 有

yǔ qián yǒu guān de dōng xi mò lǎo shī jiān jué bù yǔn
与 钱 有 关 的 东 西 。 ” 莫 老 师 坚 决 不 允

xǔ zì jǐ de xué shēng biàn chéng cái mí
许 自 己 的 学 生 变 成 **财 迷** 。

jiāng xiǎo yá xiǎng le xiǎng shuō nà hǎo ba jīn
姜 小 牙 想 了 想 ， 说 ： “ 那 好 吧 ， 今

tiān wǒ zǒu zài fàng xué de lù shang tū rán fā xiàn le yí
天 我 走 在 放 学 的 路 上 ， 突 然 发 现 了 一

个小盒子，咦，这个盒子好漂亮，是谁把它丢在这儿的呢？

"我赶快打开盒子，发现里面有一把样子古怪的钥匙和一张纸条，纸条上还写着一个地址。

"我猜这把钥匙一定很重要，失主现在一定很着急。我按照纸条上的地址来到一座山上，失主叔叔看到我把小盒子给他送回来，高兴得都快哭了。叔叔问我叫什么名字，我说我姜小牙助人为乐是从来不留名的。我刚要走，却被失主叔叔拉住了。他把我带到一个石壁前，把钥匙插进石壁里，石壁一

xià zi kāi le
下子开了。

wā lǐ miàn jū rán yǒu yí gè chāo jí dà de bǎo
"哇！里面居然有一个超级大的宝

zàng shī zhǔ shū shu gěi le wǒ wǔ bǎi wàn zuò wéi jiǎng
藏。失主叔叔给了我五百万作为奖

lì wǒ ná zhe qián gāo gāo xìng xìng de huí jiā le
励，我拿着钱高高兴兴地回家了。"

hā hā hā hā tóng xué men tīng wán quán
"哈哈哈哈……"同学们听完，全

dōu lè de zuān dào zhuō zi xià miàn qù le
都乐得钻到桌子下面去了。

mò lǎo shī tīng wán zhí jiē qì yūn guò qù
莫老师听完，直接气晕过去。

发财啦！

不跟你好了

9月3日 星期三

　　昨天姜小牙真是太过分了。居然把我最最喜欢的莫老师给气晕了。虽然我和姜小牙是好朋友，但是……哼，我决定这辈子再也不跟他玩了。

　　今天上课时，姜小牙主动跟我说话，我才不理他。"哼！老师说上课不许说话。"

　　今天下课时，姜小牙主动找我下

棋，我就不理他。"哼！老师说下课要
温习功课。"

今天中午时，姜小牙买来了两个
汉堡包，主动送给我一个。"哼！嘻嘻
……姜小牙，你真够朋友，汉堡包真好
吃。"

我有点儿担心莫老师了，不知道她
好了没有。姜小牙提议我们一起去莫
老师的办公室看看。这个办法好。

我也……

我愿意！

我愿意！

谁跟我玩，
我就请谁吃。

KFC

我们偷偷来到了莫老师的办公室外面，探头向里面看去。

姜小牙说："米小圈，你看，莫老师好好儿地坐在那里。"

"莫老师本来就该好好儿坐在那里，要不是你……"

这时，我们被莫老师发现了。

莫老师说："米小圈、姜小牙，你们怎么来这里了？有事吗？快进来。"

我和姜小牙走进了办公室，我说："莫老师，我们是**特意**来看你的。"

姜小牙低着头，"莫老师，我对不起你，呜呜呜呜呜……"

莫老师温柔地说："别哭啊，姜小牙同学，你怎么了？"

姜小牙哭得更厉害了："呜呜呜……莫老师，你对不起我，啊，不，是我对不起你。呜呜呜……"

莫老师摸了摸姜小牙的头，说："姜小牙，老师昨天晕倒是因为天太热了，中暑了，不关你的事。"

姜小牙一听，高兴地露出他的大板牙，笑了，"哈哈……我早就说嘛，根本不是我干的。"

莫老师用手指刮了一下姜小牙的鼻子，"小家伙，当然不是你干的，你

liǎ kuài huí qù shàng kè ba
俩 快 回 去 上 课 吧 。

wǒ jué de mò lǎo shī rén zhēn de zhēn de hěn hǎo
我 觉 得 ， 莫 老 师 人 真 的 真 的 很 好 ，

zuó tiān míng míng jiù shì jiāng xiǎo yá qì de ma zǒng zhī
昨 天 明 明 就 是 姜 小 牙 气 的 嘛 。 总 之 ，

mò lǎo shī shì yǒng yuǎn bú huì guài zuì wǒ men yǒng yuǎn bú
莫 老 师 是 永 远 不 会 **怪 罪** 我 们 ， 永 远 不

huì duì wǒ men fā huǒ de
会 对 我 们 发 火 的 。

wǒ hé jiāng xiǎo yá gāo gāo xìng xìng de huí qù le
我 和 姜 小 牙 高 高 兴 兴 地 回 去 了 。

嘿嘿嘿……

肌肉老师

9月4日 星期四

今天我们上了开学以来的第一堂体育课，可以跑到操场上去玩，大家都高兴极了。

体育课的时间到了，可是体育老师却迟迟没有来，不来没关系，我们正好可以在操场上玩耍。

正玩得高兴，远处一位**运动健将**慌张地飞奔向我们，突然，他脚下被

什么东西绊了一下，摔在了地上。我
们都惊呼起来，后来才知道这位不幸
的健将正是我们的体育老师——刘老师。

刘老师非常爱运动，一身的肌肉
块，就像大力水手。我们偷偷给刘老
师起了一个绰号——肌肉老师。

接下来肌肉老师拿来三个球让大
家辨认是什么球。哈！这个问题也太
简单了吧。

哇！老师好厉害！

哇！老师好酷！

哇！老师你裤子破了！

姜小牙说："老师，是篮球、足球和排球。"

肌肉老师又问大家这三个球的区别。

我举手回答："一个是棕色的，一个是白色的，一个是有花瓣的。"

肌肉老师说："你说得也对，但这不是图画课，不是让你说颜色的区别，而要说玩法的区别。"

车驰同学举起手来："老师，我知道，一个是拍的，一个是踢的，一个是用手打的。"

车驰的爸爸是个博士，他似乎什

么都懂。肌肉老师对他点点头，然后给我们讲完三个球的玩法，就**宣布**自由活动！

女生们都跑去玩沙包和跳皮筋了，可是我们男生都想踢足球。

肌肉老师决定为我们示范一下如何踢足球。他把足球放在脚面上**颠了几十下**，又把球放在头上顶了几十下。

我们都**崇拜**地叫了起来。肌肉老师说："这算什么呀！看见远处的球门了吗？我用力一脚就能把球踢进门里去。"

在同学们热烈的掌声中，肌肉老师把脚抬起，用尽全身的力气把足球

tī le chū qù
踢 了 出 去 。

zú qiú fēi le chū qù　　jī ròu lǎo shī de lì liàng
足 球 飞 了 出 去 ， 肌 肉 老 师 的 力 量

hǎo dà ya
好 大 呀 。

kě shì　kě shì　　　zú qiú fēi piān le　　fēi xiàng
可 是 ， 可 是 …… 足 球 飞 偏 了 ， 飞 向

le jiào xué lóu
了 教 学 楼 。

bù hǎo　　jiù tīng kā chā yì shēng　zú qiú bǎ jiào xué
不 好 ！ 就 听 咔 嚓 一 声 ， 足 球 把 教 学

lóu de yí kuài bō li dǎ suì le
楼 的 一 块 玻 璃 打 碎 了 。

什么都懂的车驰指着教学楼大喊：
"老师，那好像是校长室的玻璃呀！"
说完，同学们都跑开了。肌肉老师这下可惨了。

梦见女魔头

9月8日 星期一

昨晚，我做了一个怪梦。我梦见了一群野人，他们手拿着叉子想把我给吃掉。我才不让他们吃我呢，我拼命地跑啊跑，野人在后面**拼命**地追啊追。

我爬到一棵树上躲了起来。野人跑了过来，没有看到我。

这时，我看到了我的同桌李黎也在树上，哇！

叽咕

嗷嗷

不要追我呀！

qīn ài de tóng zhuō　　wǒ xiǎng wǒ zhōng
亲 爱 的 同 桌 。 我 想 我 终

yú dé jiù le
于 得 救 了 。

　　shéi zhī lǐ lí què dà shēng hǎn dào　　kuài lái a
　　谁 知 李 黎 却 大 声 喊 道 ：" 快 来 啊 ，

mǐ xiǎo quān zài zhèr ne
米 小 圈 在 这 儿 呢 。 "

　　jiù zhè yàng　　wǒ bèi yě rén fā xiàn le
　　就 这 样 ， 我 被 野 人 发 现 了 。

　　yě rén zhuā zhù le wǒ　　　bǎ wǒ bǎng zài yì kē dà
　　野 人 抓 住 了 我 ， 把 我 绑 在 一 棵 大

shù shang　　zhè shí　　yě rén men de tóu lǐng chū xiàn le
树 上 。 这 时 ， 野 人 们 的 头 领 出 现 了 。

yuán lái　　lǐ lí jiù shì yě rén tóu lǐng
原 来 ， 李 黎 就 是 野 人 头 领 。

　　wán dàn le　　wǒ zài xué xiào jiù zǒng gēn tā zuò duì
　　完 蛋 了 ， 我 在 学 校 就 总 跟 她 作 对 ，

053

zhè huí tā yí dìng bú huì fàng guò wǒ de
这 回 她 一 定 不 会 放 过 我 的 。

yě rén tóu lǐng lǐ lí dé zhī wǒ méi yǒu wán chéng zuò
野 人 头 领 李 黎 得 知 我 没 有 完 成 作

yè jiù xià lìng bǎ wǒ rēng xià le xuán yá
业 ， 就 下 令 把 我 扔 下 了 **悬崖** 。

wǒ ā de jīng jiào yì shēng xǐng le guò lái
我 "啊" 地 惊 叫 一 声 ， 醒 了 过 来 。

zhè ge mèng zhēn shì tài kǒng bù le
这 个 梦 真 是 太 恐 怖 了 。

yí dà zǎo wǒ pǎo qù wèi shēng jiān gěi lǎo bà jiǎng
一 大 早 ， 我 跑 去 卫 生 间 给 老 爸 讲

wǒ de mèng lǎo bà tīng shuō yě rén tóu lǐng jiù shì lǐ lí
我 的 梦 ， 老 爸 听 说 野 人 头 领 就 是 李 黎 ，

xiào de bù xíng le kě shì wǒ yì diǎnr dōu bù jué de hǎo
笑 得 不 行 了 ， 可 是 我 一 点 儿 都 不 觉 得 好

xiào
笑。

hū rán pēng de yì shēng lǎo mā tuī mén chuǎng jìn le
忽然，砰的一声，老妈推门闯进了
wèi shēng jiān xià le wǒ hé lǎo bà yí tiào
卫生间，吓了我和老爸一跳。

lǎo mā qì hū hū de shuō nǐ men kàn kan dōu jǐ
老妈气呼呼地说：“你们看看都几
diǎn le hái bù gǎn kuài qù chī zǎo cān jū rán zài zhè
点了，还不赶快去吃早餐，居然在这
lǐ liáo tiān
里**聊天**。”

lǎo bà yí kàn biǎo wā qī diǎn sì shí la wǒ
老爸一看表，哇！七点四十啦，我
hé lǎo bà yì qǐ chōng chū wèi shēng jiān hú luàn chī le diǎnr
和老爸一起冲出卫生间，胡乱吃了点儿
zǎo cān jiù fēi bēn chū jiā mén
早餐，就飞奔出家门。

lǎo bà qí chē de sù dù hǎo kuài a zì xíng chē
老爸骑车的**速度**好快啊，自行车
jū rán néng qí chū qì chē de sù dù
居然能骑出汽车的速度。

jié guǒ lǎo bà guāng gù zhe dēng chē chē lún yà zài
结果老爸光顾着蹬车，车轮轧在
le yí kuài zhuān tou shang wǒ hé lǎo bà jiù fēi le chū qù
了一块砖头上，我和老爸就飞了出去。

还好，我和老爸都没受伤，但是自行车坏掉了，车轱辘快变成方形的了，这可真倒霉。

老爸说："米小圈，还有更倒霉的事呢。"

"还有更倒霉的？"

"那就是我们要迟到啦……"

"快跑呀！"

我跑啊跑，终于跑到了学校，可还

是晚了十分钟，真是倒霉呀。魏老师最
讨厌迟到的学生，她一定会狠狠地**批评**
我的。怎么办？怎么办？怎么办呀……

幸运的事情出现啦，今天魏老师
居然没在教室，我嗖地钻进教室，赶
快溜到自己的座位上。

李黎看了看表对我说："米小圈，
你迟到了。"

爸爸，
等等我……

我赶快说："嘘！小声点儿，我今天出车祸啦。"

"哼！我才不信呢。"

"不信拉倒……"

不一会儿，魏老师拿着一大堆作业本走了进来。

魏老师今天脸上还挂着微笑，看来她心情不错嘛。

魏老师说："同学们，昨天大家作业完成得很好，在这里提出表扬。好了，把数学书拿出来吧，我们开始上课了。"

这时，同桌李黎高高把手举了起

来："报告老师！"魏老师问："李黎同学，什么事儿？"李黎说："报告老师，今天我同桌米小圈迟到了。"

啊？想不到李黎这么坏，居然告我的状。

魏老师脸上突然没了笑容，大喊："米小圈，你给我站起来。"我惨了！

放学回家，我把李黎告状的事儿告诉老妈，结果老妈不但不同情我，反而要求我明天起床提早十五分钟，真

李黎，我跟你有仇吗？

shì de
是 的 。

duì le   mǐ xiǎo quān   nǐ shuō nǐ tóng zhuō jiào lǐ
"对 了 ，米 小 圈 ，你 说 你 同 桌 叫 李

shén me lái zhe ?   lǎo mā wèn
什 么 来 着 ？"老 妈 问 。

lǐ lí a
"李 黎 啊 。"

zhè nǚ hái shì bú shì dà yǎn jing   xué xí tè bié
"这 女 孩 是 不 是 大 眼 睛 ，学 习 特 别

hǎo ?
好 ？"

shì ya   zěn me la
"是 呀 ，怎 么 啦 ？"

tā bà ba shì bú shì gè zuò jiā
"她 爸 爸 是 不 是 个 作 家 ？"

duì ya   lǎo mā   nǐ zěn me zhī dào de
"对 呀 ，老 妈 ，你 怎 么 知 道 的 ？"

tā shì wǒ tóng shì de nǚ ér   yuán lái nǐ men shì
"她 是 我 同 事 的 女 儿 ，原 来 你 们 是

tóng zhuō ya   zhēn shì tài qiǎo le
同 桌 呀 ，真 是 太 巧 了 。"

ǎ   bú huì ba   zhè xià wǒ kě cǎn le
"啊 ？不 会 吧 。"这 下 我 可 惨 了 ，

zài xué xiào méi yǒu mì mì le
在 学 校 没 有 秘 密 了 。

060

女魔头居然当了班长

9月9日 星期二

今天，班主任魏老师做了一个非常非常错误的决定，我的女魔头同桌成为了我们班的**代理**班长。

我觉得魏老师之所以选李黎当班长，主要是因为我迟到的时候她告了我的状。这样下去，她

再打几次我

的小报告就

kě yǐ zhuǎnzhèng la
可 以 转 正 啦 。

lǎo shī a lǐ lí dāng bān zhǎng le wǒ hái huì yǒu
老 师 啊 ， 李 黎 当 班 长 了 ， 我 还 会 有

hǎo rì zi guò ma
好 日 子 过 吗 ？

jiāng xiǎo yá jīn tiān dài le hǎo duō màn huà shū lái xué
姜 小 牙 今 天 带 了 好 多 漫 画 书 来 学

xiào jiāng xiǎo yá zhēn gòu yì si jiè le bā běn màn huà
校 。 姜 小 牙 **真 够 意 思** ， 借 了 八 本 漫 画

shū gěi wǒ kě shì lǐ lí piān bú ràng wǒ kàn bǎ
书 给 我 。 可 是 ， 李 黎 偏 不 让 我 看 ， 把

màn huà shū qiǎng le qù zhēn shì tài kě wù le
漫 画 书 抢 了 去 ， 真 是 太 可 恶 了 。

tóng zhuō bǎ màn huà shū huán gěi wǒ ba cái
"同 桌 ， 把 漫 画 书 还 给 我 吧 。 " " 才

bù shàng kè yào zhuān xīn xué xí
不 ， 上 课 要 专 心 学 习 。 "

lǐ lí bǎ
"李 黎 ， 把

màn huà shū huán 是。
漫 画 书 还

gěi wǒ
给 我 ！ "

jiù bù wǒ
"就 不 ， 我

米小圈，
去扫厕所！

是班长，我得监督你学习。""讨厌鬼，快把漫画书还给我呀！""老师，老师，米小圈上课看漫画书，还骂我……"李黎大喊道。

就这样，魏老师毫不留情地把八本漫画书没收了，并且严厉地批评了我。

"米小圈，学校不允许带漫画书，你知道吗？"

"这个，这个……"

"米小圈，看漫画书影响学习你不知道吗？"

"那个，那个……"

"再说，这么多漫画书是谁给你买的，我得找他们谈一谈。"

"老师，不要啊。"

"不行，米小圈，叫你家长来一趟。"

"这个……那个……老师，这些漫画书是姜小牙他爸给他买的，不是我的。"

jié guǒ jiāng xiǎo yá de lǎo bà bèi lǎo shī jiào dào le
结果姜小牙的老爸被老师叫到了
xué xiào jiāng xiǎo yá wǒ duì bu qǐ nǐ
学校。姜小牙，我对不起你。

jiāng xiǎo yá tè bié tè bié shēng qì shuō zài yě bú
姜小牙特别特别生气，说再也不
jiè gěi wǒ màn huà shū la kě wù de lǐ lí ya dōu
借给我漫画书啦。可恶的李黎呀，都
guài tā
怪她。

蜡烛节快乐

9月10日 星期三

今天是**蜡烛**节，其实就是教师节啦，只是我喜欢这么叫它。

一大早老师还没来的时候，女魔头李黎走上讲台，给大家布置了一个动嘴的任务。我最讨厌听女魔头的话，但今天是魏老师的节日，好吧，就听一次，就一次。

哇,好多作业呀!

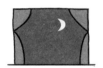

姜小牙听

他表哥说,在这

一天里老师们

都会穿上最漂亮的衣服,像牙膏广告

里一样面带微笑,就算学生忘记写作

业也绝不会对学生发火的。

也不知道是不是真的?我这样觉得。

姜小牙相信这一定是真的。姜小

牙悄悄告诉我他昨天故意没写数学作

业，要是假的他就死定了。

姜小牙这个家伙，太**不够朋友**啦，怎么也不提前告诉我，害得我昨天写到很晚。

"哇！快看，魏老师……"姜小牙在我后排指着魏老师说道。

我抬头向魏老师看去，哇！今天魏老师果然穿了一件特别漂亮特别**鲜艳**的衣服，看来姜小牙他表哥说的没错。

姜小牙问我："米小圈，这还是我们认识的奥特曼老师吗？"

我回答："绝对不是，

是穿了漂亮衣服的奥特曼老师。"哈

哈哈哈……第一堂课正是魏老师的数

学课，姜小牙的老爸给老师买了一个

大大的花篮。他老爸巨有钱。

爸爸啊，你什么时候也能给老师

买个大花篮啊！对了，上次你答应给我

买变形金刚的事儿你不会是忘记了吧？

（老爸评语：哦？我答应过吗？）

魏老师看见姜小牙送的大花篮，

果然露出了和牙膏广告里一样的微笑。

姜小牙小声说："看没看见？我说

的没错吧！"

魏老师站到讲台上说道："上课！"

女魔头李黎喊道："起立！"大家
异口同声喊道："老师，您辛苦了！"
魏老师听到我们这么一喊，感动
得差点儿哭出来。

今天的数学课大家听得格外认真，
没有同学搞小动作，也没有同学在下
面小声说话，我还主动举手回答问题

了呢。

毕竟今天是老师的节日嘛，她的节日她最大。

下课的铃声响了，姜小牙却举起手来："老师，我有事。""什么事？说吧。"

"老师，数学作业本还没发呢？"

魏老师说："哦！昨天的数学作业啊，我还没来得及批改呢，明天再发吧。"

"啊？"姜小牙崩溃了。

我不明白姜小牙为什么崩溃。姜小牙告诉我，明天就不是教师节了，

老师肯定会**统计**谁没交作业，所以他完了，死定了。

哈哈，倒霉的姜小牙。

呜呜呜……
我死定了！

我的理想

9 月 17 日 星期三

莫老师今天好漂亮啊，她穿了一条蓝色带小碎花的裙子，一双粉色的高跟鞋。

姜小牙说他长大后一定要娶莫老师当老婆。姜小牙啊，你也不看看自己，你的牙那么大，莫老师会喜欢你吗？真是的。

我猜，莫老师一定喜欢爱学习的

小孩儿，所以我**决定**，上课再也不看漫画书了，再也不和姜小牙说话了，我要好好儿学习。

（老妈评语：米小圈，你认真学习就是为了这个吗？）

我的女魔头同桌今天也很漂亮，但是我是不会娶她做老婆的，她那么凶，才不喜欢她呢。当然，她也不喜欢我。

莫老师今天给大家出了一道题，要同学们说说自己的**理想**。

"米小圈，你先说说。"

074

mò lǎo shī jiào dào le wǒ de míng zi
莫老师叫到了我的名字。

wǒ zhàn qǐ lái wǒ de lǐ xiǎng ya lǎo shī
我站起来："**我的理想**呀，老师，

wǒ néng xiān shuō shuo wǒ bà ba de lǐ xiǎng ma
我能先说说我爸爸的理想吗？"

nǐ bà ba de lǐ xiǎng gēn nǐ de lǐ xiǎng yǒu guān
"你爸爸的理想跟你的理想有关

xi ma
系吗？"

yǒu a ér qiě guān xi hěn dà
"有啊，而且关系很大。"

nà hǎo nǐ shuō ba
"那好，你说吧。"

wǒ bà ba xiǎo shí hou de lǐ xiǎng shì dāng yì míng
"我爸爸小时候的理想是当一名

huà jiā kě shì tā méi dāng chéng yú shì
画家，可是他没当成，于是

tā de lǐ xiǎng jiù biàn chéng le ràng wǒ dāng
他的理想就变成了让我当

yì míng huà jiā ér qiě shì tè bié tè bié
一名画家，而且是特别特别

zhù míng de nà zhǒng kě shì nà bú shì wǒ
著名的那种，可是那不是我

de lǐ xiǎng
的理想。"

莫老师微笑着说："哦？那米小圈，你自己的理想是什么呢？说说看。"

"我自己的理想嘛，就是想长大了当卖冰激凌的老奶奶，可以吃好多好多的冰激凌。"

大家都把自己的理想告诉了莫老师，我发现原来只有我的理想最渺小。

什么都懂的车驰说："老师，我的理想是长大后当一名科学家，为我们

老师，这个理想不行吗？

真是个没有理想的孩子。

的 祖国 发明 宇宙 飞船 。"

姜 小 牙 的 同 桌 郝 静 说 ："将 来 我 想 当 一 名 医生 。"

女 魔 头 李 黎 说 ："老 师 ，以 后 我 也 想 当 一 名 老师 ，像 您 一 样 。"

莫 老 师 听 了 李 黎 的 理 想 ，高 兴 极 了 。早 知 道 我 也 说 当 老 师 了 。

张 爽 说 ："老 师 ，老 师 ，将 来 我 想 当 歌星 。"

张 爽 啊 ，你 不 知 道 吗 ？你 唱 歌 比 哭 都 难 听 ，怎 么 当 歌 星 啊 。

莫 老 师 又 说 ："姜 小 牙 ，说 说 你 的 理 想 吧 。"

jiāng xiǎo yá shuō　　lǎo shī　bù xíng　wǒ de lǐ
姜 小 牙 说 ：" 老 师 ， 不 行 ， 我 的 理

xiǎng shì gè mì mì
想 是 个 秘 密 。 "

mò lǎo shī xiào le　　hē hē　nǐ xiǎo xiǎo de nián
莫 老 师 笑 了 ：" 呵 呵 ， 你 小 小 的 年

jì jiù yǒu mì mì la　　shuō shuo kàn
纪 就 有 秘 密 啦 ， 说 说 看 。 "

jiāng xiǎo yá shuō　　mò lǎo shī　wǒ de lǐ xiǎng shì
姜 小 牙 说 ：" 莫 老 师 ， 我 的 理 想 是

yǐ hòu dāng lǎo bǎn　zhuàn hěn duō hěn duō de qián
以 后 当 老 板 ， 赚 很 多 很 多 的 钱 。 "

hā hā　jiāng xiǎo yá guǒ rán shì gè cái mí
哈 哈 ， 姜 小 牙 果 然 是 个 财 迷 。

mò lǎo shī wú nài de shuō　　jiāng xiǎo yá　nǐ zhuàn
莫 老 师 无 奈 地 说 ：" 姜 小 牙 ， 你 赚

nà me duō qián gàn shén me ne
那 么 多 钱 干 什 么 呢 ？ "

jiāng xiǎo yá liǎn yí xià zi hóng le
姜 小 牙 脸 一 下 子 红 了 ：

rú guǒ wǒ yǒu qián le　　jiù kě yǐ
" 如 果 我 有 钱 了 ， 就 可 以

qǔ mò lǎo shī zuò lǎo po la
娶 莫 老 师 做 老 婆 啦 。 "

jiāng xiǎo yá　nǐ
" 姜 小 牙 ， 你 …… "

我要去旅行

9月30日 星期二

国庆节就要来临了，我和我们班的同学都开心极了。七天不用去上学，可以去好多地方玩，可以把学习扔到一边，想一想就觉得高兴。

要是天天都是国庆节就好了。老妈非常不赞同我的说法，国庆节是国家成立的**纪念日**，只能有一个，怎么可能天天都是呢？妈妈啊！我只是个小孩儿，

说说都不行吗？

今天同学们早早地就来到学校谈论起这个七天长假的过法。车驰同学准备去**航天科技馆**看神舟飞船，李黎家和郝静家要**结伴同行**去西湖拍些风景照回来。姜小牙兴奋地跳起来露出他的大板牙说："我们家要坐飞机去三亚玩。"

坐飞机？我还没坐过飞机呢。

（老爸评语：胡说！游乐园里的飞机你坐过好几次呢。）

哎呀！老爸要是也能带我去三亚玩就好了。

上课铃响了起来，魏老师夹着教科书走进教室开始上数学课。这堂课同学们听得格外认真，明天就是假期了，今天好好学习，明天再玩也不迟呀。

下课前，魏老师却突然说："同学们，明天就是国庆长假了，在这里祝愿大家有一个美好的假期……但是大家不能光记着玩，还要在假期里巩固自己学到的知识，下面我把七天假期的作业留一下。"

啊？原来假期还有作业呀？

魏老师啊，你留这么多作业，我们还能有美好的假期吗？真是的。

晚上，老爸老妈下班回来了。我非常严肃地提出去三亚的要求，爸妈非常**不严肃**地否决了我的要求。

"米小圈，三亚有什么好玩的，游客肯定特别多，不如我们去公园写生吧，画一张超级好看的画回来。"老爸这样说。

我马上对老爸的话提出**质疑**：第一，三亚不好玩，为什么那么多人去玩呢？第二，去公园画画这件事才真的是不好玩呢。

"这个，这个……" 老爸有些为难。

老妈赶快接着说："米小圈，要不我们去新马泰吧？"

"去新马泰？"我没有听错吧？老妈居然同意带我出国玩。老爸也非常赞同老妈的决定，前提是我必须带着画板去新马泰写生。老爸老妈万岁！

长假不长

10月8日 星期三

国庆长假就这样悄悄过去啦，又到了该上学的日子，可是我还没玩够呢。

昨晚，我做了一个美梦，我梦见自己变成了校长，我站在主席台上宣布，从此以后小学每周只上两天课，休息五天！

小朋友们站在台下高兴得跳了起来。嘿，要是真能这样就好了。一大

zǎo lǎo mā jiù pǎo jìn wǒ de fáng jiān bǎ wǒ cóng bèi wō li
早老妈就跑进我的房间把我从被窝里

zhuài le chū lái
拽了出来。

wǒ de měi mèng jiù zhè yàng bèi dǎ duàn le
我的美梦就这样被打断了。

wǒ de měi mèng pò miè le wǒ bù dé bú qù miàn
我的美梦破灭了，我不得不去面

duì xiàn shí xiàn shí jiù shì rú guǒ wǒ chí dào le bān
对现实——现实就是如果我迟到了，班

zhǔ rèn wèi lǎo shī yí dìng bú huì fàng guo wǒ de
主任魏老师一定不会放过我的。

wǒ gǎn kuài qǐ chuáng chuān yī dié bèi xǐ liǎn shuā
我赶快起床，穿衣叠被，洗脸刷

yá chī le diǎnr zǎo cān jiù bēi shàng shū bāo chōng chū jiā mén
牙，吃了点儿早餐就背上书包，冲出家门。

米小圈，快起床，要迟到了！

我走进教室的时候，姜小牙正和几个同学大谈特谈三亚的风光。他活脱脱一个三亚小导游。

姜小牙一见到我来了就问："米小圈，听说你去新马泰了，是不是特好玩？"

我骄傲地说："那当然，我去了新加坡动物园，吃了马来西亚的榴梿，还骑了泰国的大象呢。"

同学们羡慕极了，连姜小牙也开始后悔为什么要去三亚，而不是新马泰。

就在我享受被崇拜的感觉时，一个人走进了教室，打破了我所有的美好。

哈哈哈哈……

lǐ lí zǒu guò lái　　pāi zhe wǒ de jiān bǎng shuō
李 黎 走 过 来 ， 拍 着 我 的 肩 膀 说 ：

mǐ xiǎo quān　tīng wǒ mā ma shuō　zhè ge jià qī nǐ qù
"米 小 圈 ， 听 我 妈 妈 说 ， 这 个 假 期 你 去

xīn chéng hú　　mǎ ěr gǔ jiē　　hái yǒu tài shān gōng yuán xiě
新 城 湖 、 马 耳 古 街 ， 还 有 泰 山 公 园 写

shēng le　　gěi wǒ kàn kan nǐ de huà bei
生 了 ， 给 我 看 看 你 的 画 呗 。 "

āi yā　　wǒ zhuǎn tóu zài kàn tóng xué men　　tā men dōu
哎 呀 ！ 我 转 头 再 看 同 学 们 ， 他 们 都

xiào de pā zài le dì shang　　xià wǔ dì yī táng kè shì měi
笑 得 趴 在 了 地 上 。 下 午 第 一 堂 课 是 美

shù kè　　lǎo shī yāo qiú tóng xué men huà yi huà zì jǐ zuì
术 课 ， 老 师 要 求 同 学 们 画 一 画 自 己 最

xǐ huan de dòng wù　　bàn gè xiǎo shí hòu jiāo shàng lái
喜 欢 的 动 物 ， 半 个 小 时 后 交 上 来 。

啊哈！画画是我**强项**啊，我可是在正规美术班学过的，虽然才学了一个月。我一定不能输给同学们，特别是我的死对头——李黎。

可是我该画点儿什么呢？这是一个问题。有了！我**龙飞凤舞**地画起来。十五分钟过去了，我的画完成了。这时，我偷偷看了一眼同桌李黎的画。哇！原来她画的是一只小花猫呀，很小很小的猫，绒乎乎的毛，身上有着不规则的**花纹**，卡

通版的猫脸，好可爱。

wǒ de gǒu zhēn de bǐ lǐ lí de xiǎo huā māo hǎo kàn
我的狗真的比李黎的小花猫好看
ma wǒ hěn huái yí
吗？我很**怀疑**。

yú shì wǒ líng jī yí dòng　　lǐ lí　bǎ nǐ de
于是我**灵机一动**："李黎，把你的
huà gěi wǒ kàn kan bei
画给我看看呗。"

bù xíng　nǐ xiān ràng wǒ kàn kan
"不行，你先让我看看。"

wǒ hé lǐ lí jiāo huàn le huà　　zài lǐ lí méi zhù
我和李黎交换了画，在李黎没注
yì de shí hou　wǒ gěi tā de xiǎo huā māo nǎo mén shang huà
意的时候，我给她的小花猫脑门上画
le yí gè　wáng　zì　yòu duō jiā le yì xiē hú zi
了一个"王"字，又多加了一些胡子，
hái tiān le liǎng tiáo wěi bā
还添了两条尾巴
hé yí duì chì bǎng　dà
和一对**翅膀**。大

gōng gào chéng
功告成！

mǐ xiǎo quān
"米小圈，
gāi bǎ wǒ de huà huán gěi
该把我的画还给

我了。"

"李黎，我帮你交上去吧。"李黎
还没有同意，我就跑上讲台把画交了
上去。

"米小圈，你今天怎么这么好心
呀？"李黎很纳闷。

我忍住笑："没什么……没什么，
这都是我应该做的……"

又过了一会儿，美术老师看完了全
部的画，说道："同学们，我看了大家
的画，大多数同学画得都很不错，但是
我要批评咱们班的一位同学，她的画
严重脱离生活，居然画了一个'四不像'。"

同学一听到"四不像"，都笑了起来。李黎**捂着嘴**，也笑得很开心。美术老师很严肃地举起画："李黎同学，你能告诉老师你画的是什么动物吗？"

"啊？"李黎惊讶地站了起来，"老师，这不是……"

我赶快举手说："老师，这不是'四不像'，是**麒麟**。"

嘻嘻嘻~~~

呜呜呜~~~

李黎说："什么呀，老师，不是，这画……"

美术老师气愤地打断了李黎的话："不管是麒麟，还是恐龙，都不合格。"

谁知李黎一下子趴在桌子上哭了起来。

美术老师了解完情况后，认定这幅画是我做了手脚，并将这件事告诉了魏老师。我突然有一种不祥的预感。

晚上，我也哭了起来。

道歉信

10月9日　星期四

　　zuó wǎn wǒ zhī suǒ yǐ kū le   shì yīn wèi wǒ mā
　　昨 晚 我 之 所 以 哭 了 ，是 因 为 我 妈

dǎ le wǒ de pì gu   zhī suǒ yǐ wǒ mā dǎ wǒ pì gu
打 了 我 的 屁 股 ；之 所 以 我 妈 打 我 屁 股 ，

shì yīn wèi wǒ xiě de dào qiàn xìn bù shēn kè bù yán sù
是 因 为 我 写 的 道 歉 信 不 深 刻 不 严 肃 。

kě shì wǒ zhēn de jué de wǒ xiě de yǐ jīng hěn shēn kè hěn
可 是 我 真 的 觉 得 我 写 得 已 经 很 深 刻 很

yán sù le
严 肃 了 。

　　dào qiàn xìn dì yī gǎo
　　道 歉 信 第 一 稿 ：

　　　lǐ lí tóng xué   wǒ cuò le
　　　李 黎 同 学 ，我 错 了 ！

　　(lǎo mā píng yǔ   tài duǎn le   chóng xiě
　　(老 妈 评 语 ：太 短 了 ，重 写 ！)

我是小学生

093

道歉信第二稿：

我最最亲爱的、画猫画得最棒的、

我们班的班长同学，我后座的同桌的

前座、也是我唯一的同桌李黎同学，我

错了。

（老妈评语：不要那么多称谓，说重

点，重写！）

道歉信第三稿：

我的同桌李黎同学，我错了。

我承认今天美术课上，我不该把

你画得并不怎么好看的小花猫改成麒

麟，美术老师说那是"四不像"。我在

网上查了一下，这的确是"四不像"，而不是麒麟。麒麟的脑门是没有"主"字的，而且麒麟是有独角的。我没有搞清楚就在你的本子上乱画，我深深地感到，我真的错了。

（老妈评语：米小圈，看来你还是不知道你错在哪儿了，再这么不严肃就别给我睡觉！）

道歉信第四稿：

我的同桌李黎同学，你好。你好吗？你一定很好，因为你不用写道歉信。

李黎同学，我现在要特别严肃地

对你说一句，我真的知道自己错了，并且我也知道我自己错在哪儿了。我错在不该乱涂改你本来画得很好看的小花猫。我妈说这是一种损人不利己的行为，身为小学生犯这样的错误是非常可耻的。我要为我今天的行为向你道歉，对不起！我错了。

　　我的同桌，难道你不想知道我为什么要乱改你画的小猫吗？其实是因为上午你让我在大家面前出了丑。

　　你知道吗？姜小牙听说我去的"新马泰"只是新城湖、马耳古街、泰山公园后，他都快把牙笑掉了。其他人也都笑得趴到地上了。你想想，你当众揭穿我，让我在同学面前抬不起头来，难道就不是一种损人不利己的行为吗？我妈说身为小学生犯这样的错误是非常可耻的。所以，我希望你看到这封道歉信之后，也给我回一封，我们就算扯平了。你觉得怎么样？等待你的回信。

（老妈评语：米小圈，看我不打你！）

少先队风波

10月13日 星期一

今天班里发生了一个**重大事件**！

特别重大的重大事件！

魏老师在课堂上宣布班里将会有

十名同学**率先**加入少先队。

这么光荣的事情，有谁不想赶快

加入呢？

姜小牙第一个把手举了起来："老

师，老师，让我加入吧。"

魏老师笑了笑，说："姜小牙，你的牙太大了，还不能加入少先队，我决定让热爱劳动、学习努力的米小圈同学先加入少先队。"

教室里顿时响起雷鸣般的掌声。

（老妈评语：啊？老师会说出这样的话？）

唉！我多希望魏老师能这样说呀，但事实并不是这样的。

事实是，魏老师笑了笑，说："姜小牙，加入少先队可是有条件的。"

我赶快举起手来："老师，我知道，条件是不是牙太大的同学不能加入呀？"

魏老师一听我的话，马上愤怒了，

我是小学生

099

pāi zhe zhuō zi shuō　　　mǐ xiǎo quān　　nǐ tài méi lǐ mào le
拍着桌子说："米小圈，你太没礼貌了，

bù xǔ ná tóng xué kāi wán xiào　　jiā rù shào xiān duì shǒu xiān
不许拿同学开玩笑。加入少先队首先

yào pǐn dé hǎo　jiǎng wén míng dǒng lǐ mào　nǐ zhī dào ma
要品德好，讲文明懂礼貌，你知道吗？"

　　　　　ò　lǎo shī　wǒ cuò le　　　wǒ gǎn kuài dī
"哦！老师，我错了。"我赶快低

xià tóu
下头。

　　　wèi lǎo shī jiē zhe shuō　　hái yào shǒu jì lǜ　ài
魏老师接着说："还要守纪律、爱

xué xí　　yǒu chéng xìn
学习、有诚信……"

　　　wèi lǎo shī shuō le hǎo duō tiáo　wǒ méi yǒu jì zhù
魏老师说了好多条，我没有记住，

dàn wǒ xiǎng zhè cì
但我想这次

rù duì wǒ shì méi
入队我是没

xī wàng le
希望了。

　　　fàng xué hòu
放学后，

jiāng xiǎo yá hé wǒ
姜小牙和我

shī luò de zǒu zài huí jiā de lù shang
失落地走在回家的路上。

jiāng xiǎo yá tū rán shuō mǐ xiǎo quān nǐ shuō lǎo
姜小牙突然说："米小圈，你说老

shī huì xuǎn wǒ men jiā rù shào xiān duì ma
师会选我们加入少先队吗？"

wǒ shuō rú guǒ bǐ xué xí wǒ men shì kěn dìng
我说："如果比学习，我们是肯定

méi xī wàng le dàn rú guǒ bǐ jiǎng wén míng dǒng lǐ mào
没希望了，但如果比讲文明懂礼貌……"

jiāng xiǎo yá xīng fèn qǐ lái zěn me yàng
姜小牙兴奋起来："怎么样？"

wǒ xiǎng yě méi yǒu xī wàng le
"我想也没有希望了。"

ài
"唉……"

cǐ kè wǒ hěn shī luò fēi cháng shī luò
此刻，我很失落，非常失落。

lǎo mā píng yǔ mǐ xiǎo quān zhǐ yào nǔ lì mā
（老妈评语：米小圈，只要努力，妈

ma xiāng xìn nǐ yí dìng huì chéng wéi yì míng yōu xiù de shào xiān duì yuán
妈相信你一定会成为一名优秀的少先队员

de jiā yóu
的。加油！）

拾金不昧的女魔头

10月14日 星期二

今天，我的同桌李黎**拾金不昧**了，她在上学的路上捡到了一块手表。

魏老师当着全班同学的面表扬了李黎，并且宣布李黎成为第一个加入少先队的同学。

"啊？老师，不要呀，以后李黎肯定对我更凶了。"我在心里**暗暗叫苦**。

我和姜小牙都不服气，李黎这根

本不算拾金不昧嘛，她捡到的又不是金条，最多算**拾表不昧**。

可是我和姜小牙还从来没被魏老师表扬过呢，于是我提议我们也去捡点儿什么，也让魏老师表扬一下，说不定老师会让我们也加入少先队呢。

姜小牙提议我们去捡矿泉水瓶子，这样我们就算拾瓶子不昧了，可是如果这样的话，魏老师会表扬我们吗？我们这样子会不会让人家以为我们是**清洁工**呢？

"要不我们就去捡钱包。"姜小牙说。

"捡钱包？"

"对呀！怎么样？我的**提议**很好吧。"

钱包哪里是随便就能捡到的呢，

我和姜小牙在操场上转了无数圈，别

说钱包了，连一角钱都没捡到。而且，

我发现我还不小心丢了五元钱，这可

是老妈给我买午饭的钱啊，呜呜呜……

晚上，我遭到了老妈的**批评**。老

妈告诉我，我和姜小牙不应该为得到

biǎo yáng ， wèi jiā rù shào xiān duì cái qù shí jīn bú mèi ，
表扬，为加入少先队才去拾金不昧，

nà yàng shì bú duì de
那样是不对的。

kě shì ， wǒ zhēn de hěn xiǎng jiā rù shào xiān duì 。
可是，我真的很想加入少先队。

lǎo mā gào su wǒ ， xiǎng dé dào biǎo yáng kě yǐ yǒu
老妈告诉我，想得到表扬可以有

hěn duō zhǒng fāng fǎ ， lì rú ： kǎo shì qǔ dé hǎo chéng jì ，
很多种方法，例如：考试取得**好成绩**，

gěi lǎo rén ràng zuò ， bāng zhù yǒu kùn nan de tóng xué ……
给老人让座，帮助有困难的同学……

lǎo bà yí xià zi bèng chū lái shuō ： “ zài huò zhě ，
老爸一下子蹦出来说：“再或者，

huà yì zhāng chāo jí hǎo kàn de huà 。 ”
画一张超级好看的画。”

“ huà yì zhāng chāo jí hǎo kàn de huà ？ ”
“画一张**超级好看**的画？”

duì ya
“对呀。”

suàn le ba ， zhè bǐ qǔ dé hǎo chéng jì hái nán
“算了吧，这比取得好成绩还难

ne 。 ” kàn lái bèi lǎo shī biǎo yáng zhēn bú shì yí jiàn róng
呢。”看来被老师表扬真不是一件容

yì de shì ya
易的事呀。

姜小牙的好运气

10 月 15 日　星 期 三

我万万没有想到的是，今天一大
早，姜小牙就笑着告诉我，他在上学
的路上捡到了一个钱包。

我真羡慕姜小牙的**好运气**，看来
姜小牙一定
会受到表扬
啦。要是我
也能捡一个

看！我捡
的钱包！

就好了，或者能把昨天我丢的五元钱捡回来也行呀。

魏老师来到了班级，姜小牙一下子跑上了讲台把钱包交给了她。

魏老师打开钱包数了数，里面一共有1200元钱，还有好几张金卡。

哇！这么多钱，丢钱包的人一定很着急。

姜小牙坐在座位上美滋滋地等待魏老师的表扬。

魏老师正准备表扬姜小牙，突然，魏老师从钱包的夹层里发现了一张身份证和几张名片。

wèi lǎo shī ná qǐ yì zhāng míng piàn dú le qǐ lái
魏 老 师 拿 起 一 张 名 片 读 了 起 来：

dà yá jí tuán dǒng shì zhǎng jiān zǒng cái jiāng dà yá
"大 牙 集 团 董 事 长 兼 总 裁 姜 大 牙。"

bú duì ya jiāng xiǎo yá nǐ bà ba bú jiù shì
"不 对 呀，姜 小 牙，你 爸 爸 不 就 是

jiào jiāng dà yá ma wǒ huí tóu wèn dào
叫 姜 大 牙 吗？"我 回 头 问 道。

wèi lǎo shī dà nù bǎ qián bāo zhòngzhòng de pāi zài
魏 老 师 大 怒，把 钱 包 重 重 地 拍 在

zhuō zi shang jiāng xiǎo yá nǐ gěi wǒ zhàn qǐ lái nǐ
桌 子 上："姜 小 牙，你 给 我 站 起 来，你

zhè qián bāo shì zài nǎr jiǎn de zhè shì nǐ bà ba de qián
这 钱 包 是 在 哪儿 捡 的，这 是 你 爸 爸 的 钱

bāo
包。"

"啊？哈哈哈哈……" 全班同学都快笑趴下了。

姜小牙，你真是太勇敢了，我佩服死你了。

姜小牙站了起来委屈地说："老师，这真是我捡的，我爸爸今天早上把钱包掉到床上了，我就捡来了。"

魏老师**哭笑不得**。

可是，姜小牙爸爸以为自己的钱包真的丢了，找了很多地方都没找到。

中午，他接到了魏老师的电话，来学校把钱包拿了回去。

晚上，姜小牙可就惨了。

遇见外星人

10月17日 星期五

下课时，李黎偷偷地在看一本关于外星人的杂志。女生居然喜欢看这种杂志，真搞不懂她。

这个宇宙中真的有外星人吗？如果有，那他们长什么样呢？他们也上网聊天吗？他们有QQ号吗？

李黎就十分相信这个宇宙里会有外星人，她还说，对于其他星球来说，

110

我们地球就是外星，那么我们人类当然就算外星人喽。说不定有一天，外星人还会攻打地球呢。

天哪！外星人好可怕！

晚上，我去找姜小牙玩，给他讲了一个外星人入侵地球的故事。姜小牙才不相信有什么外星人呢，他爸告诉他那些都是电影和动画片编出来骗

快把你的QQ密码告诉我，不然我们就摧毁你！

rén de
人 的 。

tū rán wǒ fā xiàn xīng kōng li yǒu yí gè xiǎo bái
突然，我发现星空里有一个小白

diǎn yì shǎn yì shǎn de
点，一闪一闪的。

xiǎo bái diǎn kuài sù de yí dòng bù yí huìr jiù xiāo
小白点快速地移动，不一会儿就消

shī bú jiàn le
失不见了。

jiāng xiǎo yá wǒ jué de nà hǎo xiàng shì fēi dié
"姜小牙，我觉得那好像是飞碟。"

bù kě néng ba zěn me huì yǒu nà me xiǎo de fēi
"不可能吧，怎么会有那么小的飞

dié ne
碟呢？"

"因为飞碟离我们很远啊，而且为什么我们发现它之后，它就消失了？"

"那我们该怎么办？"姜小牙问。

我想了想说："我们赶快去报告警察叔叔吧！"

就在这时，小白点又出现了，而且越来越大，越来越亮，我和姜小牙赶快跑。

突然，小白点变成了飞碟，一下子

嗖~~~

落在我和姜小牙面前，在地上砸出了
一个大坑。

　　飞碟的门打开了，从里面蹦出两
个和我们一样高的外星小孩儿来，他们
长得很古怪，穿着盔甲，手拿冲锋枪，
脖子上居然戴着红领巾。"

　　姜小牙小声说："原来外星也有
少先队员啊。"

我告诉姜小牙，如果他们问咱们是不是少先队员，咱们一定得说是，不然我们就死定了。

两个小外星人蹦跳着来到我和姜小牙面前，冲锋枪对着我们，问："你们是少先队员吗？"

我和姜小牙赶快回答："是！是！而且我们还是第一批入队的呢。"

小外星人笑着说："哈哈，太好了，我们终于抓到地球上的少先队员了，我们可以交差了。"

我们被带上了飞碟，飞碟嗖的一声飞走了。

小外星人说："听说你们地球上的少先队员特别聪明，学习特别好，所以我们要把你们大脑中的优秀细胞转移到我们的头上。"

小外星人一按**电钮**，姜小牙的电椅开始工作了，突然飞碟里响起警报声："危险，危险，此少先队员的牙超大，千万不可以带回星球。"

"啊？我是姜小牙，我的牙不是很大啊，我爸爸的牙才超大呢。"姜

小牙解释道。

小外星人气坏了，才不理姜小牙的解释，把姜小牙扔下了飞碟，我吓坏了。

这时，我的电椅开始工作了，飞碟里又一次响起**警报**："危险，危险，此少先队员画画特别差，无任何艺术细胞。"

就这样，两个小外星人也把我扔下了飞碟。

这时，灯亮了，老妈把我从地上抱到床上："米小圈，你怎么又做**噩**梦了？"

哦！天哪，原来是个梦。

女魔头失踪了

10 月 27 日 星期一

yǒu de shí hou wǒ huì xiǎng rú guǒ zhè ge shì jiè
有 的 时 候 我 会 想 ， 如 果 这 个 世 界

shang néng yǒu yì suǒ mó fǎ xué xiào gāi duō hǎo a rú guǒ
上 能 有 一 所 **魔 法 学 校** 该 多 好 啊 ， 如 果

wǒ néng xué huì mó fǎ wǒ jiù néng bǎ nǚ mó tóu tóng zhuō
我 能 学 会 魔 法 ， 我 就 能 把 女 魔 头 同 桌

biàn méi le tā zǒng xǐ huan gēn wǒ zuò duì zǒng xǐ huan
变 没 了 。 她 总 喜 欢 跟 我 作 对 ， 总 喜 欢

管我。

如果她消失了，我就可以自己独占一张桌子，还可以偷偷看漫画书、玩游戏、叠纸飞机，再没有人告我的状，再没有人烦我了。

今天，我的梦想终于成真啦，女魔头同桌竟然没有来，可是我还没找到魔法学校呢？管他呢，反正女魔头今天不在，我自由了，万岁！

自己独占一张大桌子就是舒服，书包放在李黎的椅子上，学习用品我想放哪里就放哪里，我的胳膊越线了也没人管我。真好，如果李黎永远不

lái gāi duō hǎo a
来 该 多 好 啊！

shàng shù xué kè de shí hou wǒ tōu tōu bǎ màn huà
上 数 学 课 的 时 候，我 偷 偷 把 漫 画

shū jiā zài shù xué kè běn li zhuāng zuò rèn zhēn kàn shū de
书 夹 在 数 学 课 本 里，装 作 认 真 看 书 的

yàng zi
样 子。

wǒ bù xiǎo xīn xiào chū le shēng bèi wèi lǎo shī gěi
我 不 小 心 笑 出 了 声，被 魏 老 师 给

tīng jiàn le wèi lǎo shī jīng qí de kàn le kàn wǒ zǒu
听 见 了。魏 老 师 惊 奇 地 看 了 看 我，走

le guò lái bù hǎo wǒ gǎn kuài bǎ màn huà shū cóng kè
了 过 来。不 好！我 赶 快 把 漫 画 书 从 课

běn li chōu le chū lái fàng jìn shū zhuō li
本 里 抽 了 出 来，放 进 书 桌 里。

mǐ xiǎo quān nǐ zài kàn shén me ne xiào chéng zhè
"米 小 圈，你 在 看 什 么 呢？笑 成 这

哈哈哈哈哈……

样。"魏老师问我。

"没……没……没看什么呀？我就是觉得数学题太有趣了。"

魏老师又问："数学有那么好笑吗？"

"有啊，老师。"

魏老师大怒："米小圈，你还敢狡辩，你平时看书都是倒着看的吗？"

姜小牙在我后排大喊："哈哈，米小圈，你数学书拿倒了。"

啊？我把书封面翻过来一看，果然，我的数学书拿倒了，真倒霉。全班同学都笑了起来。

聪明的魏老师把我藏在书桌里的

漫画书给没收了。我好心疼啊，那可是我老爸新给我买的呀。

我在想，要是李黎在就好了，我上课看漫画书她一定会阻止我的，我的漫画书就不至于被没收了。

晚上，老妈告诉我，今天李黎的妈妈没去上班。奇怪？难道她和女魔头一起失踪了？

"什么呀，李黎得了阑尾炎，刚刚动完手术，她妈妈去照顾她了。""什么，动手术！那一定很疼吧，她还能不能上学了？"

老妈拍拍我的脑袋说："是很疼

的，不过你不用担心，一个小手术，很快就会好起来的。"

我才不担心女魔头呢，我那么讨厌她。我说过的，她永远消失才好呢。好吧，我承认我有点儿担心，只有一点点而已。

病房里的女魔头

10月28日 星期二

女魔头同桌果然动了手术，今天
一大早魏老师就向同学们宣布了这个
并不好的消息。大家都很担心李黎，
跟李黎关系最好的郝静趴在桌子上哭

le qǐ lái
了起来。

wèi lǎo shī xià wǔ yào qù yī yuàn kàn wàng lǐ lí
魏老师下午要去医院看望李黎，

xī wàng dà jiā néng xiě yì xiē zhù fú de huà gěi lǐ lí
希望大家能写一些祝福的话给李黎。

wǒ jǔ qǐ shǒu lái lǎo shī wǒ yě yào qù
我举起手来：“老师，我也要去。”

bù xíng xià wǔ nǐ děi zài bān li shàng kè
“不行，下午你得在班里上课。”

wèi lǎo shī zhí jiē jù jué le wǒ de yāo qiú
魏老师直接**拒绝**了我的要求。

lǎo shī xià wǔ zhǐ yǒu yì táng měi shù kè jiù
“老师，下午只有一堂美术课，就

ràng wǒ qù ba
让我去吧。”

zhè ge wèi lǎo shī yǒu xiē dòng yáo le
“这个……”魏老师有些动摇了。

wǒ kàn le kàn hǎo jìng xiǎng chū le yí gè hǎo bàn
我看了看郝静，想出了一个好办

fǎ wū wū wū lǎo shī jiù ràng wǒ qù ba
法。“呜呜呜……老师，就让我去吧，

wǒ de tóng zhuō píng shí duì wǒ zuì hǎo le wǒ jiǎ zhuāng
我的同桌平时对我最好了。”我**假装**

kū qǐ lái
哭起来。

真是有情
意的小孩儿。

呜呜呜……

jiāng xiǎo yá tè bié jīng yà duì wǒ shuō mǐ xiǎo
姜小牙特别惊讶，对我说："米小

quān lǐ lí píng shí duì nǐ zuì bù hǎo le nǐ zhè shì
圈，李黎平时对你最不好了，你这是

zěn me le
怎么了？"

wǒ xiǎo shēng gào su jiāng xiǎo yá qù kàn wàng lǐ lí
我小声告诉姜小牙："去看望李黎

zǒng bǐ zài jiào shì li shàng měi shù kè hǎo ya
总比在教室里上美术课好呀。"

duì ya wǒ zěn me méi xiǎng dào shuō wán jiāng
"对呀，我怎么没想到。"说完姜

xiǎo yá yě jiǎ zhuāng kū le qǐ lái kū de bǐ wǒ hé hǎo
小牙也假装哭了起来，哭得比我和郝

jìng shāng xīn duō le
静伤心多了。

最终，魏老师同意带我和姜小牙还有郝静一起去看望女魔头同桌，**万岁**！

我们利用中午的时间给李黎做了一个大大的明信片，同学们都在上面留下祝福的话。我留下的话是：同桌，如果你想早点儿回来管我，就早点儿好起来吧！

姜小牙最逗，他留了一句英文——

Happy New Year。

下午，魏老师带着我们先去了鲜花店，我们要给李黎买一束鲜花。店里的鲜花都十分漂亮，该送哪种花呢？

我指着白菊花说："老师，老师，

这个花真漂亮呀，就送这个吧。"

魏老师打了我手一下："这花不可以送。"

"这么漂亮的花为什么不能送呢？"大家都很疑惑。

魏老师解释说，送花是很有讲究的，看望病人最不能送白色或者黄色的菊花，因为白色或者黄色的菊花是不吉利的。

最终我们买了一大束康乃馨离开了花店，老师说康乃馨花的寓意是早日康复。

我们拿着康乃馨来到了李黎的病

fáng
房。

李黎一看我们来了，高兴得跳了
起来。

（老妈评语：米小圈，你见过刚动完
手术的人跳吗？应改为：高兴极了。）

李黎似乎瘦了好多，脸色也不太
好。郝静同学一见到李黎的样子就哭
得跳了起来。

李黎，老师
代表同学们祝你
早日康复。

（老妈评语：米小圈，你除了会写跳了起来，还能否写点儿别的？应改为：哭了出来。）

我把同学们制作的超大号明信片送给女魔头同桌。女魔头打开明信片，感动极了。

李黎妈夸我们**懂事**，还送给我们每人一大块巧克力，我和姜小牙接过巧克力都高兴得跳了起来。

留住童年的魔法

北 猫 叔 叔

童年是七色的彩虹，灿烂又短暂。

正在童年里奔跑的孩子们呀，你们是

否想过，当你在教室里朗读课文时，

当你在操场上嬉戏打闹时，当夜晚你

进入梦乡时，我们美丽的童年正在悄

悄溜走。有一天，它就再也不会回来了。

请别难过，这是每个人都必

131

须经历的——长大。

现在，北猫叔叔要教你一个神奇的魔法，它可以帮你把童年永远留住。这个魔法很简单，那就是写日记，把童年都记录下来。

当米小圈渐渐长大，长得足够老，老到别人都叫他米老圈时，当他翻开小时候写的日记时，他会发现，原来小时候的铁头那么笨，姜小牙那么贪财。对了！他的第一位同桌叫李黎，如果不看日记，米老圈都记不起来了。

米老圈看着自己的童年哈哈大笑，仿佛自己又变成了小孩子。

没错，这就是写日记的全部意义。小朋友们，快快拿起笔，记录下自己的童年吧。

图书在版编目（CIP）数据

我是小学生 / 北猫著；手指金鹿，老布鲁绘. —成都：
四川少年儿童出版社，2018.1（2018.3 重印）
（米小圈上学记）
ISBN 978-7-5365-8769-4

Ⅰ. ①我… Ⅱ. ①北… ②手… ③老… Ⅲ. ①儿童故
事—作品集—中国—当代 Ⅳ. ①I287.5

中国版本图书馆 CIP 数据核字（2018）第 008693 号

出 版 人　常　青

策　　划　明　琴　黄　政
责任编辑　明　琴
封面设计　阿　咩
插　　图　手指金鹿　老布鲁
书籍设计　燕　阳
责任校对　党　毓
责任印制　王　春

WO SHI XIAOXUESHENG

书　名	**我是小学生**	
作　者	北猫	
出　版	四川少年儿童出版社	
地　址	成都市槐树街 2 号	
网　址	http://www.sccph.com.cn	
网　店	http://scsnetcbs.tmall.com	
经　销	新华书店	
图文制作	喜唐平面设计工作室	
印　刷	成都思潍彩色印务有限责任公司	
成品尺寸	210mm × 180mm	
开　本	24	
印　张	6	
字　数	120 千	
版　次	2018 年 3 月第 2 版	
印　次	2018 年 3 月第 34 次印刷	
书　号	ISBN 978-7-5365-8769-4	
定　价	25.00 元	